巴巴祖

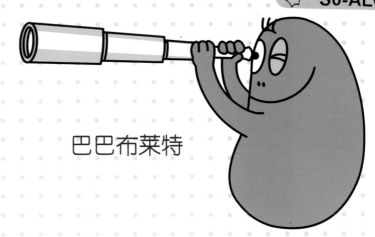

巴巴布莱特

巴巴伯

巴巴拉拉

桂图登字：20—2009—146

图书在版编目（CIP）数据

巴巴爸爸和圣诞礼物/（法）缇森，（法）泰勒著；谢逢蓓译.—南宁：接力出版社，2010.6
（巴巴爸爸经典系列）
ISBN 978-7-5448-1343-3

I.①巴…　Ⅱ.①缇…②泰…③谢…　Ⅲ.①图画故事－法国－现代　Ⅳ.①I565.85

中国版本图书馆CIP数据核字(2010)第070296号

责任编辑：王淑红　唐　玲　　社　　址：广西南宁市园湖南路9号　　　经　　销：新华书店
美术编辑：董　炜　　　　　　　邮　　编：530022　　　　　　　　　　印　　制：北京华联印刷有限公司
责任校对：王　静　　　　　　　电　　话：0771-5863339（发行部）　开　　本：889毫米×1194毫米　1/16
责任监印：刘　签　　　　　　　　　　　　010-65545240（发行部）　印　　张：2.25
版权联络：谢逢蓓　　　　　　　传　　真：0771-5863291（发行部）　字　　数：10千字
媒介主理：耿　磊　　　　　　　　　　　　010-65545210（发行部）　版　　次：2010年6月第1版
社　　长：黄　俭　　　　　　　网　　址：http://www.jielibeijing.com　印　　次：2011年4月第5次印刷
总编辑：白　冰　　　　　　　　　　　　http://www.jielibook.com　　印　　数：65 001—85 000册
出版发行：接力出版社　　　　　E－mail：jielipub@public.nn.gx.cn　定　　价：12.00元

巴巴爸爸经典系列

巴巴爸爸和圣诞礼物

BARBAPAPA HE SHENGDAN LIWU

［法］安娜特·缇森　德鲁斯·泰勒　著　谢逢蓓　译

接力出版社
Publishing House

这天夜里，巴巴爸爸一家睡着了，圣诞老人悄悄送来了礼物。

圣诞老人给巴巴伯、巴巴拉拉、巴巴贝尔、巴巴布莱特、巴巴布拉伯、巴巴利波和巴巴祖都带来了礼物。

巴巴祖和他的小猫、小狗，还有他最忠实的南美鹦鹉一起睡得好香，他不知道一份巨大的圣诞礼物正等着他呢！

这份礼物实在太大了，连门都进不去，大家只好打开巴巴祖房间的屋顶。

这么点小麻烦，巴巴祖才不在乎呢。快看看礼物是什么！
是一群漂亮的鸟儿，巴巴祖和他的南美鹦鹉高兴得叫起来！

这些鸟儿都来自热带，他们适应不了寒冷的天气。

巴巴爸爸一家为他们织起毛衣、毛裤，还有毛袜子。

为了给鸟儿们取暖，巴巴爸爸一家砍了很多树。

森林里的居民们生气了！

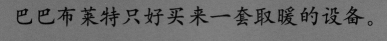

巴巴布莱特只好买来一套取暖的设备。

河流里的水让转轮不停地转，
产生能量，然后就有了电。

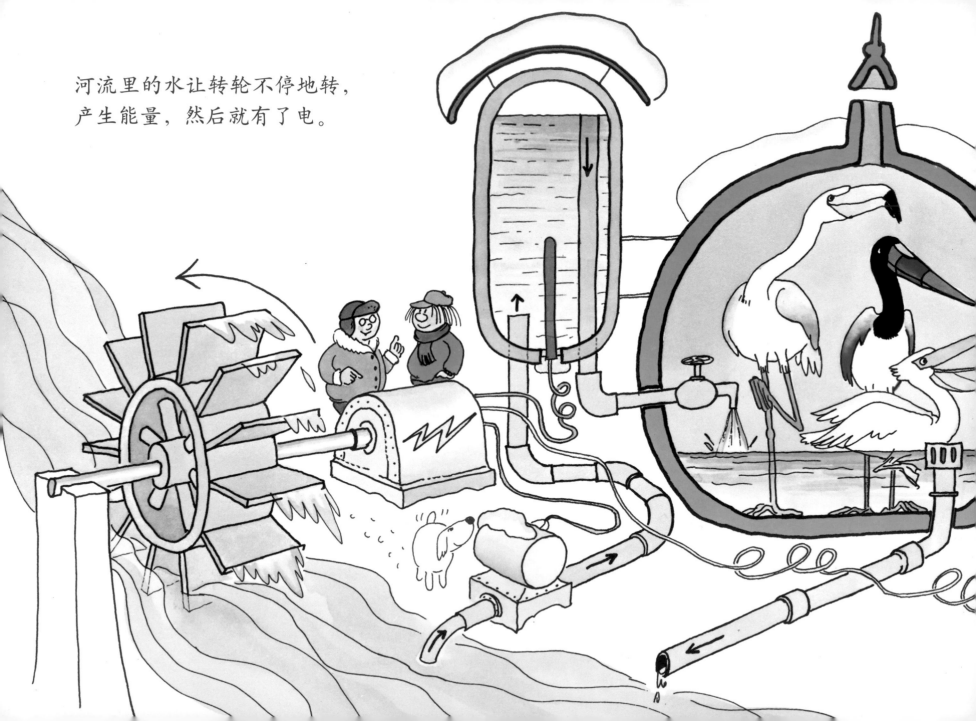

电能给鸟儿们的屋子里提供热水和暖气。

糟糕，河流的水结冰啦！"可里可里可里，巴巴变！"
只要有风，也可以发电。

如果风也停了，我们还可以用
太阳光的能量来取暖。

只是，这么多设备，实在太复杂了。

想一想，如果河流里的水结冰了，风也停了，太阳又躲到云层里面，我们靠什么发电呢？看，在自行车下面装上可以转动的轮子，用我们运动的能量一样可以发电！

"反正，我是一点也不觉得冷了。"巴巴利波说，"真应该让这些鸟儿试试自己骑自行车来取暖！"

尽管巴巴爸爸一家很努力，可鸟儿们还是无精打采。

"巴巴祖，还是让鸟儿们回他们自己家吧，在这里，他们是不会快乐的。"
巴巴祖好伤心，但是他知道巴巴妈妈说得有道理。

巴巴爸爸和巴巴妈妈带着
大家一起向南飞。

他们来到了非洲。

离别的时刻终于到了，巴巴祖难过地掉下眼泪。他的老朋友南美鹦鹉呢？正和别的鸟儿玩得欢呢。

还好，他总算赶上了。

那天晚上，圣诞老人又送
了巴巴祖一份礼物。

巴巴祖的新朋友虽然
没有鸟儿们那么漂亮，

可他们在巴巴爸爸家住得
非常舒服。

巴巴爸爸　　巴巴妈妈

巴巴布拉伯

巴巴利波

巴巴贝尔